W9-BNY-990

Je suis un grizzli
Karen Durrie
Weigl

Publié par Weigl Educational Publishers Limited
6325 10th Street SE
Calgary, Alberta T2H 2Z9
Site web : www.weigl.ca

Catalogage avant publication de Bibliothèque et Archives Canada

Durrie, Karen
[I am a grizzly bear. Français]
Le grizzli / Karen Durrie.

(Je suis)
Traduction de : I am a grizzly bear.
Publié en formats imprimé(s) et électronique(s).
ISBN 978-1-4872-0054-1 (relié).--ISBN 978-1-4872-0055-8 (livre électronique multiutilisateur)

1. Grizzli--Ouvrages pour la jeunesse. I. Titre. II. Titre : I am a grizzly bear. Français.

QL737.C27D8714 2014   j599.784   C2014-901709-X
C2014-901710-3

Imprimé à North Mankato, Minnesota, aux États-Unis d'Amérique
1 2 3 4 5 6 7 8 9 0 18 17 16 15 14

052014
WEP010714

Coordonnateur de projet : Jared Siemens
Directeur artistique : Terry Paulhus
Traduction : Translation Cloud LLC

Weigl reconnaît que les images Getty sont le principal fournisseur d'images pour ce titre.

Tous les efforts raisonnablement possibles ont été mis en œuvre pour déterminer la propriété du matériel protégé par les droits d'auteur et obtenir l'autorisation de le reproduire. N'hésitez pas à faire part à l'équipe de rédaction de toute erreur ou omission, ce qui permettra de corriger les futures éditions.

Dans notre travail d'édition nous recevons le soutien financier du gouvernement du Canada par l'entremise du Fonds du

Je suis un grizzli
Dans ce livre, je vous parlerais de
• moi
• mes nourriture
• mon logement
• ma famille
et bien plus!

Je suis un ours grizzli.

Je suis né pendant
que ma mére dormait.

J’ai un nez qui détecte des odeurs a 18 kilomètres.

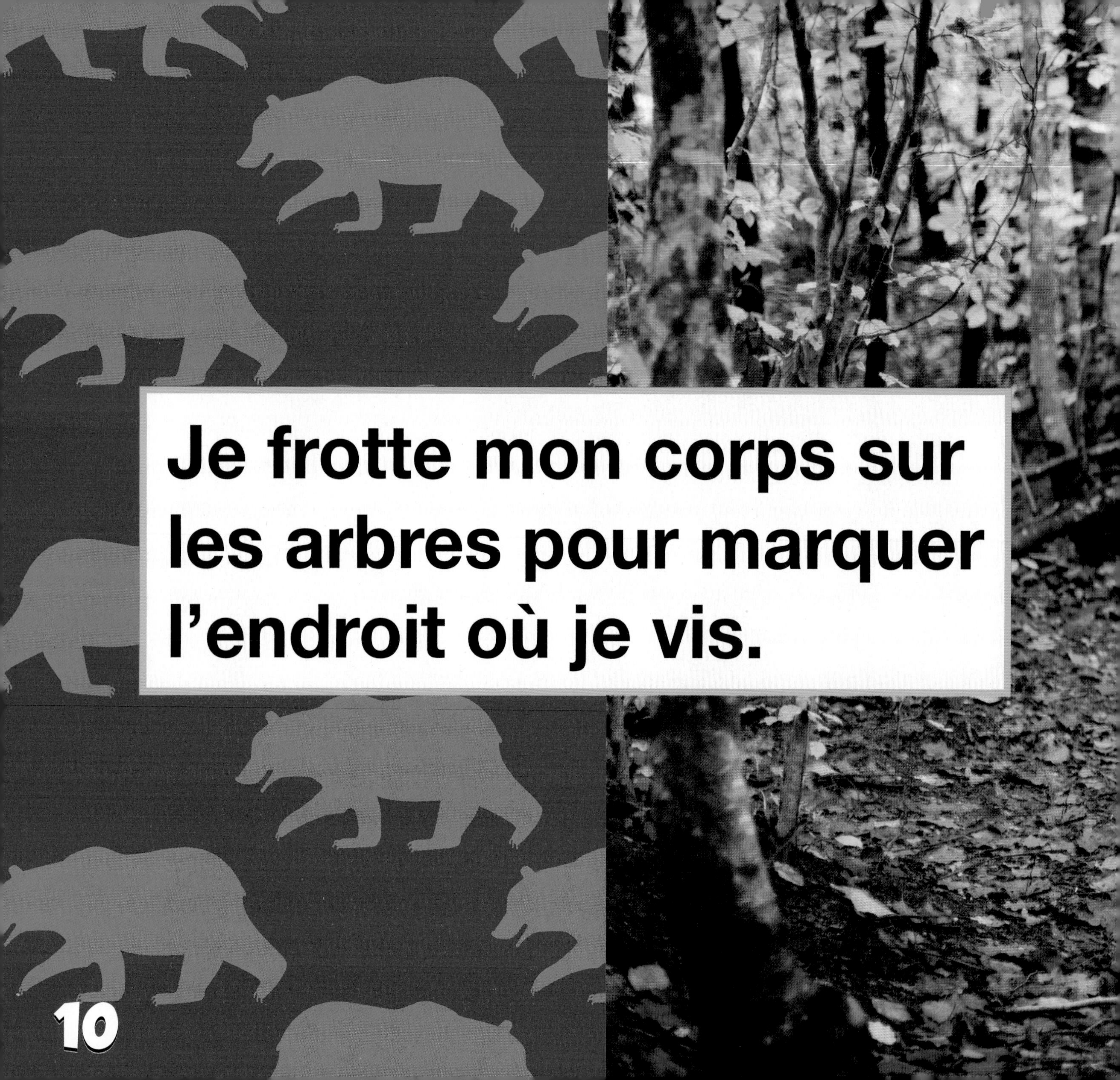

Je frotte mon corps sur les arbres pour marquer l'endroit où je vis.

Mon poids est égal a celui de six individus adultes.

Je cours plus rapidement d’un cheval.

Je dors pendant presque huit mois en hivers.

Je mange 40 kilogrammes de nourriture en un seul jour.

J'habite dans des forêts de montagne et des vallêes fluviales.

Je suis l'ours grizzli.

FAITS SUR LE GRIZZLI

Ces pages fournissent plus de détails sur des faits intéressants trouvés dans le livre. Ils sont destinés aux adultes comme un outil d'apprentissage qui les aide à approfondir leur connaissance sur chaque animal compris dans les séries *I Am*.

Pages 4–5

Je suis le grizzli. Le grizzli est un type d'ours brun qui tire son nom de l'argent, leur fourrure varie du blond au noir. Les grizzlis vivent en Alaska, au Montana, dans l'Idaho, le Wyoming, à Washington, et au Canada.

Pages 6–7

Les petits ours grizzlis naissent pendant le sommeil de leur maman. Les oursons naissent pendant le sommeil hivernal de la mère. Ils naissent généralement deux à deux, mais les portées varient d'un à quatre. Les oursons naissent aveugles, mais parviennent à trouver le lait de leur mère. Quand la mère se réveille au printemps, ses petits sont assez grands pour quitter la tanière et partir en exploration.

Pages 8–9

Les grizzlis détectent des odeurs à 29 km. Le sens de l'odorat du grizzly est l'un des plus vifs du monde. Ils dépassent de plusieurs milliers celui de l'homme. Les scientifiques ont découvert que les grizzlis peuvent détecter l'odeur de personnes qui sont passées dans une région au cours des 14 dernières heures.

Pages 10–11

Les grizzlis se frottent aux arbres pour marquer leur demeure. Ils marquent leur territoire en mordant, grattant et frottant des troncs d'arbres. Leur parfum met en garde les autres ours.

Pages 12–13

Les grizzlis ont le poids de six adultes. Le poids moyen d'un grizzly mâle est d'environ 250 kg. Les grizzlis femelles pèsent environ 159 kg. Les grizzlis vivant dans les zones côtières du nord peuvent peser plus de 454 kg et atteindre une hauteur de 2,13 m lorsqu'ils sont debout.

Pages 14–15

Les grizzlis courent plus rapidement que les chevaux. Les grizzlis peuvent atteindre des vitesses de 56 km par heure, soit le double de la vitesse d'un individu normal. Ils peuvent dépasser les chevaux, mais seulement sur de courtes distances. Les grizzlis ne sont pas résistants pour courir pendant longtemps.

Pages 16–17

Les grizzlis dorment pendant presque huit mois pendant l'hiver. Les grizzlis rentrent dans leurs tanières et hibernent pendant l'hiver. Ils le font parce qu'il y a peu de nourriture disponible pendant l'hiver. Ils se nourrissent des réserves de graisse qu'ils ont stockées dans leur corps pendant l'été.

Pages 18–19

Les grizzlis peuvent manger 41 kg de nourriture en une seule journée. Les grizzlis mangent presque tout. Leur régime alimentaire comprend les racines, les baies, les insectes, les poissons, les rongeurs et les gros animaux tels que le cerf. Les grizzlis peuvent manger plus de 200.000 baies en une seule journée. En fin d'été, ils mangent constamment afin de se préparer pour leur sommeil hivernal.

Pages 20–21

Les grizzlis vivent dans les forêts de montagnes et les vallées fluviales. Les grizzlis sont une espèce menacée. Ils ont perdu 98 pour cent de leur habitat à cause de l'activité humaine. On compte seulement environ 1200 grizzlis dans 48 états. Leurs populations en Alaska et au Canada sont beaucoup plus élevées, avec 30 000 en Alaska, et 26 000 au Canada.